Les malheurs de Heidi

DEUX COQS D'OR

Texte français de Claude Saler

© 1983 Hanna Barbera Productions Inc.
Publié par les Éditions des Deux Coqs d'Or, Paris, 1983.
ISBN 2-7192-0870-1
Édition originale : ISBN 0-600-20774-6,
Hamlyn Publishing Group Limited, London, New York, Sydney,
Toronto - Astronaut House, Feltham, Middlesex, England.
Titre original : HEIDI'S SONG.

Loi nº 49-956 du 16 juillet 1949 sur les publications destinées à la Jeunesse
Dépôt légal : septembre 1983 - Deux Coqs d'Or éditeur - Nº 1-8162-5-83 -
Imprimé en Italie (1).

Tante Dete ne joue pas un rôle très important dans cette histoire ; cependant, elle prétend toujours que, sans elle, rien ne serait arrivé, et que la vie de Heidi aurait été très différente. Grand-père n'était pas de cet avis, mais il est vrai que Grand-père et Tante Dete n'étaient jamais du même avis. Lequel des deux avait raison ? Vous aller pouvoir en juger par vous-même...

Par une magnifique matinée de juin, en Suisse, deux petites silhouettes traversaient un alpage parsemé de fleurs sauvages. A leur différence de taille, on pouvait voir qu'il s'agissait d'une femme adulte et d'une petite fille. Une fois le pâturage franchi, elles empruntèrent un étroit sentier qui serpentait à flanc de montagne.

La pente était raide, le soleil brillait ; au bout de quelques centaines de mètres, le plus grand des deux personnages commença à perdre du terrain. L'adulte s'arrêtait de plus en plus souvent pour reprendre son souffle, soulevait d'une main sa lourde robe, retenant de l'autre son immense chapeau à large bord orné d'une plume qui volait au vent. L'enfant fut bientôt loin devant. Quand elle fut certaine que sa compagne ne pouvait plus la voir, elle s'assit sur une pierre à côté du chemin, et enleva ses chaussures, ses bas, son chapeau, son manteau et le haut de sa robe.

« Ouf ! » s'exclama-t-elle à haute voix, bien que personne ne fût là pour l'entendre. « Voilà qui est déjà beaucoup mieux ! Tante Dete m'avait si bien emmaillotée que je pouvais à peine respirer ! » Elle empila soigneusement ses vêtements sur le bord du sentier et poursuivit sa route vers le sommet.

Peu après, au détour du chemin, elle leva les yeux et aperçut au-dessus d'elle un troupeau de chèvres. Un tout jeune chevreau noir gambadait plus loin, donnant la chasse à un papillon.

Encore plus haut sur la montagne, un faucon était perché sur un arbre. Sa vue perçante lui permettait de surveiller toutes les bêtes, mais il prêtait une attention particulière aux cabrioles insouciantes du petit chevreau. Quand il fut certain que ce dernier s'était suffisamment éloigné du troupeau et ne lui échapperait plus, il prit son essor, s'éleva dans les airs, tournoya et fondit enfin sur sa proie.

Quand le jeune animal comprit le danger, il était presque trop tard. Le faucon, toutes serres dehors et bec prêt à frapper, allait s'abattre sur lui. Il fit un bond de côté, et le rapace, surpris, le manqua, mais revint aussitôt à la charge. Alors commença pour le chevreau une course folle en direction du troupeau ; il sautait, bondissait, pirouettait, s'arrêtait net, faisait volte-face, et repartait, fuyant toujours les griffes acérées. Malgré son inexpérience, il était jeune

et agile, et l'instinct de conservation jouait en sa faveur.

Mais le faucon, voyant son repas lui échapper, redoubla d'efforts, et il n'y avait aucun doute qu'à l'issue de cette lutte inégale, l'oiseau emporterait sa proie pour la dévorer à loisir dans son aire. Et de fait, tout semblait perdu, quand soudain Grand Turk entra dans la bataille. C'était un bouc gigantesque et le chef du troupeau. Ses immenses cornes faisaient de lui un adversaire redoutable.

Quand il vit Grand Turk le charger, le faucon comprit qu'il allait devoir rester sur sa faim, du moins en ce qui concernait le petit cabri noir. Il fit pourtant une dernière tentative, mais celle-ci échoua, car le bouc vint se planter fermement devant son protégé et releva la tête comme pour dire : « Viens donc, si tu l'oses ! » Se sachant vaincu, l'oiseau regagna son perchoir, où il attendit qu'une proie plus facile se présente. Pendant tout ce temps, la jeune fille n'avait pas cessé de grimper. Loin dessous, Tante Dete s'aperçut soudain avec effroi qu'elle avait perdu l'enfant de vue.

Aussitôt, affolée à l'idée des mésaventures de tout genre qui peuvent advenir à une petite fille perdue dans la montagne, elle se mit à l'appeler. N'obtenant aucune réponse, elle prit une profonde inspiration et, de toute la puissance de ses poumons, poussa un formidable cri.

« HEEEIIIDDIII ! » L'écho se répercuta de sommet en sommet comme un roulement de tonnerre, s'amplifiant à mesure qu'il s'éloignait. Entre temps, Heidi avait rejoint le troupeau de chèvres. Le chevrier se tenait au milieu de ses bêtes ; c'était un jeune garçon nommé Peter. Quand la blonde fillette apparut au détour du sentier, Peter lui jeta à peine un regard, inspecta ses chèvres, contempla le paysage alentour ; quand l'écho du hurlement strident de Tante Dete parvint à ses oreilles, il se retourna de nouveau vers la petite fille et lui demanda, « Bonjour, toi ! Qu'est-ce que c'est que ce cri ?

— Ce n'est pas un cri, c'est mon nom, répondit-elle. Comment t'appelles-tu, toi, et où as-tu trouvé ces beaux moutons ?

— Je m'appelle Peter, répondit le gar-

çon, et n'importe qui verrait que ce ne sont pas des moutons, mais des chèvres !

— Oh, je ne savais pas ! » Puis, indiquant le petit chevreau noir : « Comment s'appelle-t-elle ? Comme elle est mignonne ! Est-elle aussi gentille ?

— Pffff ! fit Peter. C'est Spritz, et c'est un il, pas une elle ! Et il n'est pas gentil, mais mal élevé, et il n'arrête pas de faire des bêtises !

— Elles sont toutes à toi ?

— Bien sûr que non ! Des gens me les confient pour que je les emmène paître le matin, et je les ramène l'après-midi ! » Il regarda Heidi de la tête aux pieds, et reprit :

« Tu n'es pas d'ici, toi.

— Non, je ne suis pas d'ici mais je vais l'être. Je suis venue vivre avec mon grand-père.

— Ton grand-père ? Pourquoi ne vis-tu pas avec tes parents ? »

Le visage de Heidi s'assombrit et, pendant quelques instants, Peter crut qu'elle allait éclater en sanglots. Mais elle se contenta de répondre doucement : « Mes parents sont au ciel. »

Peter eut l'air embarrassé, puis, haussant les sourcils, il demanda : « Ton grand-père ne serait-il pas le vieil ours qui habite là-haut ? » Du doigt, il montra un chalet près du sommet du Wunderhorn.

« Ce doit être lui, répondit Heidi. Tante Dete m'a dit qu'il vivait au bout de ce sentier. Mais pourquoi un « vieil ours » ? Tante Dete l'appelle comme ça, elle aussi.

— Oh, s'exclama Peter, c'est vraiment un ours ! Toujours en colère, toujours ronchon, jamais une parole aimable ! Spritz lui appartient, ainsi que certaines chèvres. Avec leur lait, il fabrique du beurre et du fromage qu'il vend à Dorfli, le village où j'habite.

— Je connais Dorfli ! Nous l'avons traversé en venant ici. Nous sommes partis du village où j'ai vécu avec Tante Dete depuis que mon père et ma mère sont au ciel. Il faut que j'aille chez Grand-père, maintenant. Au revoir, Peter ! J'espère que nous nous reverrons bientôt !

— Je t'accompagne, décida le garçon. Je suis en retard, les chèvres devraient déjà être dans leur pré. »

Ils reprirent leur ascension, suivis par le troupeau. Tout en marchant, Heidi se mit à questionner Peter.

« Tu as toujours vécu à Dörfli ? » « Quel âge as-tu ? » « Vas-tu à l'école ? » « Avec qui habites-tu ? »

Peter répondit « oui », « onze ans », « parfois » et enfin « avec ma mère et ma grand-mère ». Après quoi, il tendit le doigt devant lui en disant : « Regarde... voilà le vieil ours en personne ! »

Heidi leva les yeux et vit une espèce de géant avec des cheveux blancs, une barbe blanche, et d'épais sourcils grisonnants. Son visage était sillonné de rides profondes, et il portait une chemise à col ouvert, des pantalons de tissu grossier, une veste et des bottes de cuir. Il s'appuyait d'une main au manche de sa hache. Gruffle, un grand chien poilu, était assis à ses pieds. A vrai dire, il ressemblait un peu à son maître.

« Toi là-bas... Peter ! » cria le vieil homme d'une voix si basse qu'elle semblait venir de ses pieds. « Où as-tu traîné encore ? Tu es en retard ! » Puis il toisa Heidi. « Qu'avons-nous là ? Pas de petites

filles ici ! Demi-tour, en vitesse ! Retourne d'où tu viens ! » Heidi commença à répliquer : «Mais, grand-père, il faut que je…»

Le vieil homme fronça les sourcils et rugit : « Grand-père ? Mais pourquoi m'appelles-tu grand-père ?

— Parce que tu es précisément cela - son grand-père ! » jeta sèchement Tante Dete, qui venait de faire une apparition essoufflée.

« Un instant ! Toi, je te reconnais… tu es la sœur de la femme de mon fils !

— C'est exact, reconnut Tante Dete. Ton fils est mort, et ma sœur aussi. Je me suis occupée de l'enfant pendant quatre ans, et maintenant, c'est à ton tour !

— Pas question ! hurla Grand-père. Tu vas prendre l'enfant et repartir avec elle, ta stupide robe longue et ce chapeau ridicule dont tu t'es attifé ! Allons, ouste !

— Je repartirai, ne t'inquiète pas, répliqua Tante Dete, mais sans Heidi ! J'ai obtenu un bon travail dans un hôtel, et je ne peux plus prendre soin d'elle. Je te l'ai dit et je te le répète, c'est à ton tour, maintenant ! »

Le vieil homme parut sur le point de s'étrangler de rage. « Mon tour ? MON TOUR ? Tu crois que c'est un jeu ? » Il regarda de nouveau Heidi, et son expression s'adoucit un tout petit peu.

« Toi ! aboya-t-il.

— Oui, Grand-père ?

— Pleures-tu ?

— Non, Grand-père.

— Bien ! rugit-il. Je déteste les petites filles qui pleurent ! Et dis-moi... restes-tu à bouder dans les coins ?

— Non, Grand-père !

— Très bien ! Il n'y a pas de place ici pour des petites filles boudeuses ! Une dernière question : manges-tu beaucoup ?

— J'ai bien peur que oui, Grand-père. J'ai souvent faim !

— Excellent ! tonna le vieil homme. Je hais les petites filles qui manquent d'appétit ! » Il détailla Heidi des pieds à la tête, en fit le tour, et s'exclama finalement : « Bon ! Quand on a des enfants, je suppose qu'il est normal d'avoir un jour des petits-enfants. Peter, pourquoi restes-tu planté là avec des yeux ronds comme des soucou-

pes ! Emmène vite ces chèvres au pâturage ! » Puis, se tournant vers Tante Dete, il hurla : « Va-t-en et ne reviens pas ! Je garde l'enfant, mais je t'ai assez vue ! »

Tante Dete rassembla tout son courage pour répliquer : « Moi aussi, vieil ours, je t'ai assez vu ! » Elle jeta les habits que Heidi avait ôtés à ses pieds et, tremblante de peur, s'enfuit par le sentier.

Grand-père prit la petite main de Heidi dans sa grosse patte. « Bon débarras ! dit-il. Viens, montons au chalet. Je ne crois pas que ça marchera, mais nous allons essayer, encore que la montagne ne soit pas un endroit pour les petites filles !

— Je suis sûre que ça marchera, Grand-père ! Tu verras !

— Oui, je verrai bien. As-tu faim ?

— Je n'ai rien mangé depuis le petit-déjeuner, et c'était ce matin !

— Un morceau de fromage, du pain frais, et un bol de lait suffiront-ils à apaiser ta faim ? » demanda Grand-père. En posant cette question, il y avait quelque chose au fond de ses yeux qui ressemblait furieusement à de la malice.

23

Après le repas, Heidi se mit en devoir d'explorer le chalet. Elle était curieuse d'en apprendre plus sur la maison qui serait désormais la sienne.

« Grand-père ne ferait pas une très bonne ménagère », pensa-t-elle. Le mobilier se réduisait au strict nécessaire : un lit, une table, une chaise, quelques tabourets, un lavabo pour se laver, et un fourneau à bois pour faire la cuisine et pour se chauffer. Rien n'était vraiment sale, mais il y avait de la poussière partout, et Heidi découvrit même des toiles d'araignées dans les coins. Une armoire était adossée à un mur. Sans réfléchir, Heidi tendit la main pour en ouvrir les portes.

Grand-père était en train d'affûter sa hache. Du coin de l'œil, il vit ce que Heidi allait faire et s'écria, affolé :

« Non ! Ne touche pas ! »

Malheureusement, il était trop tard. Tout le fatras que le grand-père avait simplement entassé et coincé dans l'armoire, ses vêtements, ses livres, ses outils, ses boîtes de conserve, un oreiller, des casseroles, et bien d'autres choses encore, s'abattit sur Heidi,

qui fut presque écrasée sous l'avalanche.

« Ach ! gémit Grand-père. Tu vois ce que tu as fait ? Je t'avais bien dit que ça ne marcherait pas. Tu n'es pas là depuis dix minutes, et déjà tu as tout mis sens dessus dessous ! Quel besoin avais-tu de fourrer ton nez dans l'armoire ?

— Je suis désolée, Grand-père ! Je te promets de tout remettre en ordre, et quand j'aurai fini, tout sera bien net et bien rangé !

— Ach ! gronda-t-il encore. Si tu fais cela, je ne retrouverai plus rien ! »

Heidi ignora la dernière remarque de Grand-père, et continua à fureter dans le chalet. Au bout d'un moment, elle se tourna vers le vieil homme et demanda : « Grand-père, je ne vois qu'un lit. Où vais-je dormir ?

— Dans le grenier à foin. »

Regardant autour d'elle, Heidi avisa une échelle qui menait à ce qui lui parut être une étagère tout en haut du chalet. Elle grimpa les échelons et dut aimer ce qu'elle découvrit, car elle poussa une exclamation d'admiration.

« C'est merveilleux ! J'adore dormir en hauteur, et le foin frais sent si bon ! Et il y a même une fenêtre ! Je pourrai l'ouvrir et contempler les étoiles ! »

« Le moins qu'on puisse dire, pensa Grand-père, est qu'elle sait tirer le meilleur parti d'une situation ! »

Plus tard, après un dîner frugal, Heidi et Grand-père se préparèrent à aller au lit.

« Ne trouves-tu pas qu'il y a beaucoup de vent, ce soir ? demanda Heidi. Il souffle et siffle et fait toutes sortes de bruits bizarres !

— Ce n'est pas seulement le vent ! Un orage se prépare, et quand il sera là, les kobolds et les elfes et de nombreuses autres créatures sortiront de leurs cachettes !

— Qu... que... que sont les kobolds et les elfes ?

— Les ignorants croient qu'il s'agit du vent, mais nous autres, qui vivons sur le Wunderhorn, nous savons bien que les kobolds et les elfes sont des esprits malins de la montagne qui hantent des lieux sombres et mystérieux. Ce soir, ils sortiront tous, parce que deux étrangers ont envahi

leur domaine ! Et l'un de ces envahisseurs est toujours là, dans mon chalet !

— Mais, Grand-père, ils doivent bien savoir que je ne suis pas un envahisseur... puisque je suis ta petite-fille !

— Oh, répliqua le vieil homme en hochant solennellement la tête et secouant sa barbe blanche, qui sait ce qui se passe par la tête d'un kobold ? D'ailleurs, il y a tous les autres !

— Tous... tous les autres ?

— Bien sûr ! Outre les kobolds et les elfes, il y a les boggles et boggarts, les gepolters, les gnomes, les diablotins, les barghests, les afrites et les trolls, sans compter les harpies et les djinns. Et sur eux règne le Roi des Kobolds ! Il est aussi haut qu'une montagne ! Ses jambes sont plus grandes qu'un arbre, et ses bras pourraient écraser un village entier ! Il a une longue barbe verte comme de la mousse, et ses yeux lancent des éclairs !

— Oh mon Dieu ! s'exclama Heidi. Je crois que je n'aimerais pas le rencontrer !

— Ne t'inquiète pas ! ricana Grand-père. Il ne ferait même pas attention à toi,

tu es trop insignifiante ! Et maintenant, au lit, ma petite ! »

Heidi monta dans le fenil, enfila sa chemise de nuit, et quand Grand-père souffla la bougie, elle ouvrit la fenêtre et regarda dehors.

De gros nuages noirs obscurcissaient le ciel. Parfois, au cours d'éclaircies, la lune apparaissait, et Heidi entrevoyait alors les arbres qui se pliaient sous les assauts du vent. De temps à autre, un éclair zébrait le ciel, illuminant le paysage.

Morte de fatigue, Heidi sombra bientôt dans un sommeil peuplé de rêves. Dans l'un d'eux, le vent semblait l'appeler. « HEI-DIII ! VIIIIIEEEEENT JOUUUUUEEER AVEEEEC NOUUUUS ! »

Heidi fit ce que le vent lui demandait. Elle se sentit aspirée hors de sa chambre, flotta dehors, dans la nuit, et fut accueillie par une armée de ces étranges esprits de la montagne dont son grand-père lui avait parlé.

Le tonnerre grondait autour d'elle comme un ours en colère réveillé de son hibernation, et des éclairs fusaient de tous

côtés. Heidi ne ressentait aucune crainte ; au contraire, elle trouvait que toutes ces créatures étaient merveilleuses. Certaines ressemblaient à de longs nuages avec des queues brillantes, tandis que d'autres lui rappelaient des crocodiles surmontés de têtes humaines.

Comme d'autres les rejoignirent pour former une procession fantastique, Heidi songea : « Comme ils ont l'air bêtes ! On dirait des étincelles ou des feux d'artifice ! » Elle battit des mains de joie.

Un groupe de harpies tourbillonnantes plongea dans sa direction. Elles parurent belles à Heidi, avec leurs longs cheveux et leurs ailes fines, mais quand elles s'approchèrent, elle constata qu'elles avaient des têtes de mort à la place du visage.

Comme elle n'avait toujours pas peur, Heidi commença à danser avec ses bizarres et merveilleux compagnons, faisant des cabrioles, planant, virevoltant, contournant les sommets des montagnes. Elle s'adonnait totalement au plaisir de cet amusant ballet, quand un effroyable géant, le Roi des Kobolds, fit son apparition.

Il était exactement tel que Grand-père l'avait décrit. Elle resta bouche bée devant ses cheveux en broussaille, un enchevêtrement de ronces, et sa barbe de mousse gluante. Il lui lança soudain un regard furibond, et tendit un doigt sec et noueux dans sa direction. A ce geste, les créatures cessèrent de s'amuser ; subitement furieuses, elles donnèrent la chasse à Heidi, qui courut de toutes ses forces à travers les éléments déchaînés, montant, descendant, essayant de les distancer. Mais elles se rapprochaient inexorablement.·

« Si j'arrive jusqu'au chalet, Grand-père me sauvera », pensa la fillette.

Elle s'éleva dans les airs et, dès qu'elle aperçut le refuge, elle mit le cap dessus avec à ses trousses tous les démons de la nuit qui braillaient et hurlaient à tue-tête. A l'instant précis où le premier des poursuivants allait la rejoindre, elle vogua à travers la fenêtre, la referma derrière elle, tira les couvertures par-dessus sa tête... et un rayon de soleil la réveilla.

Avec un soupir de soulagement, Heidi comprit qu'elle avait rêvé.

37

Elle descendit de l'échelle, avala à la hâte son petit déjeuner, et sortit. La matinée s'annonçait magnifique. Au loin, elle entendit les chèvres que Peter menait paître et qui remontaient le sentier. Et tout près retentissaient les coups sourds d'une hache vigoureusement maniée. Heidi se dirigeait vers le bruit quand elle aperçut un hibou perché sur une haute branche, et qui criait inlassablement, « Houuu, hou, houuu ! »

« Bonjour, toi ! salua-t-elle le hibou. Tu répètes « Hou » tout le temps. Je crois que je vais t'appeler Hooter ! » Tout à coup, elle remarqua que l'arbre que Grand-père abattait était celui de Hooter !

Voyant le danger, elle essaya de prévenir l'oiseau. « Hooter, envole-toi vite ! L'arbre va tomber ! »

Mais le hibou l'ignora.

A cet instant, Heidi perçut un sinistre craquement. Elle s'éloigna de l'endroit où elle pensait que le sommet de l'arbre gigantesque allait atterrir ; celui-ci s'effondrait déjà, et, levant la tête, elle comprit qu'elle se trouvait sur sa trajectoire, mais il était trop tard pour se mettre à l'abri.

Grand-père se précipita vers elle et, à l'instant précis où le géant s'écrasait, il donna à Heidi une formidable bourrade qui l'envoya dinguer au loin, un peu commotionnée, mais saine et sauve.

Il y eut un fracas épouvantable suivit d'une secousse qui ébranla le sol à des kilomètres à la ronde... et Hooter atterrit dans les bras de Heidi. Elle le déposa précautionneusement sur une branche basse, et se demanda ce qui était arrivé à Grand-père. Elle l'appela à plusieurs reprises, mais n'obtint pas de réponse.

Elle se mit à le chercher fiévreusement. Peter, qui, du sentier, avait vu ce qui s'était passé, arriva en courant et proposa son aide.

« Peter, gémit Heidi, je n'arrive pas à retrouver Grand-père. Je suis sûre qu'il a été écrasé en essayant de me sauver ! »

Tous deux se remirent à chercher Grand-père, et Peter découvrit bientôt un pied botté sous un amas de branches. Il se fraya un chemin jusque-là, arracha quelques rameaux et appela Heidi. « Je l'ai trouvé ! Il est ici, sous ce tas de feuilles ! »

Heidi accourut auprès de son ami ; ensemble, ils commencèrent à dégager Grand-père, travaillant d'arrache-pied pour arriver jusqu'au corps enseveli qu'ils parvenaient tout juste à distinguer sous l'enchevêtrement de branchages. Finalement, ils virent qu'une souche emprisonnait la jambe de Grand-père qui avait les yeux fermés et ne bougeait pas.

« Heidi, murmura Peter, je crois qu'il est mort.

— Mort ? rugit une voix au ras du sol. Qui est mort ? Ne dites pas de bêtises !

— Grand-père ! s'écria joyeusement Heidi. Heureusement que tu n'as pas de mal !

— Pas de mal ? gronda Grand-père. Pas de mal, quand un arbre m'est tombé sur la jambe ? Aidez-moi donc à rentrer ! »

Tirant et poussant, les deux enfants parvinrent à libérer Grand-père. Chacun le prit par un bras et, le portant à moitié, ils le ramenèrent au chalet. Une fois là, Grand-père s'affala sur son lit.

« Oh, gémit-t-il, je ne méritais pas ça ! Toute ma vie, j'ai abattu des arbres, et c'est

la première fois qu'il m'arrive un accident ! Et tout ça parce que je suis trop bon,
et que j'ai accepté de m'occuper d'une
petite orpheline de huit ans !

— Ne t'en fais pas, Grand-père ! dit
Heidi. Peter va chercher le docteur du
village.

— PAS DE DOCTEUR CHEZ MOI !
tonna le vieil homme. Ma jambe n'est pas
cassée. J'irai mieux demain, après m'être
reposé.

— Dans ce cas, c'est moi qui te soigne-
rai. Je ferai le ménage, je trairai les chèvres,
et je préparerai les repas. Et Peter
m'aidera, lui aussi !

— C'est exactement à quoi je pensais
quand je te disais que ça ne marcherait
pas ! grogna Grand-père. Tu feras le
ménage, et je ne retrouverai plus rien ! Tu
trairas les chèvres, et le lait va tourner. Tu
feras la cuisine, et nous mourrons
d'indigestion !

— Ne te fais pas de soucis, Grand-père.
Tout ira bien, tu verras !

— Oui, je suis sûr que je verrai,
bougonna-t-il. Et en attendant de voir,

jeune fille, j'aimerais que tu me dises ce qui est arrivé à ce stupide hibou que tu voulais absolument sauver ? C'est à cause de lui que tous ces ennuis sont arrivés !

— Il est dehors, intervint Peter. Je crois qu'il a un peu adopté Heidi parce qu'elle a essayé de le sauver. »

Le lendemain, la jambe de Grand-père lui faisait toujours très mal. Il dut garder le lit toute la journée, et il ne cessa pas de se plaindre à propos de tout et de rien.

Comme elle l'avait promis, Heidi se chargea de l'entretien de la maison jusqu'à ce que Grand-père fût guéri. Peter vint traire les chèvres avant de les emmener paître, et le soir en les ramenant, il aidait à fabriquer le beurre.

Heidi apprit à aimer la montagne et par-dessus tout son grand-père bougon. De son côté, Grand-père adorait Heidi, mais naturellement, il se gardait bien de le dire.

Au bout de quelques jours, Grand-père était suffisamment rétabli pour pouvoir se lever et marcher à l'aide d'une vieille canne. Un matin, Heidi entra au chalet avec deux seaux remplis de lait.

« Regarde, Grand-père, s'écria-t-elle. J'ai trait les vaches toute seule ! »

Grand-père examina les seaux. « C'est très bien, Heidi ! En général, on n'obtient pas autant de lait au premier essai !

— Maintenant, je vais apprendre à m'occuper de tout le troupeau !

— Tu ferais mieux de commencer avec un seul, conseilla Grand-père. Prends Spritz ! Tu feras tes classes avec lui.

— Oh, Grand-père ! Tu veux dire que tu me donnes Spritz ? A moi ?

— Bien sûr que c'est ce que je veux dire, rugit Grand-père, me suis-je mal exprimé ?

— Formidable ! Un chevreau à moi ! J'ai hâte de le dire à Peter !

— Tu n'auras pas besoin d'attendre longtemps. Je l'entends déjà qui monte le sentier avec le troupeau ! »

Heidi descendit le chemin au galop, à la rencontre de Peter. « Grand-père m'a donné Spritz, lui cria-t-elle de loin. Il est à moi !

— Pas possible, répondit Peter. Il t'a donné Spritz ? Ce vieux rouspéteur n'a jamais rien donné à personne. Tu dois me prouver ce que tu avances !

« — Si Grand-père te le dis, est-ce que tu me croiras ?

— Il faudra bien !

— Allons au chalet, et tu verras ! »

Les deux enfants, suivis par le troupeau de chèvres, remontèrent en courant au chalet. Grand-père se tenait sur le seuil.

« Grand-père ! cria Heidi. Peter ne veut pas croire que tu m'as donné Spritz. Peux-tu le lui dire, s'il te plaît ?

— Bien sûr que je peux ! Peter, j'ai donné Spritz à Heidi. Es-tu satisfait à présent, jeune homme ?

— Je ne sais pas pour Peter, mais moi, je suis satisfaite ! » coupa Heidi. Puis, regardant plus attentivement Grand-père : « Et je vois quelque chose d'encore plus satisfaisant ! Tu n'as pas ta canne, Grand-père ! Tu peux de nouveau marcher, comme avant l'accident ! »

Grand-père regarda d'abord sa jambe, puis ses mains. « Saperlipopette, tu as raison ! s'exclama-t-il, émerveillé. Je ne m'en étais même pas rendu compte ! Les choses vont peut-être redevenir normales, par ici. En attendant, il faut fêter ça ! »

Mais, ayant par hasard jeté un coup d'œil vers le chemin, il gronda : « Il va falloir remettre la fête à plus tard ! Voilà encore cette femme ! Je parie qu'elle nous amène des ennuis !

— Mais c'est Tante Dete ! s'écria Heidi. Je me demande ce qu'elle veut...

— Rien de bon, en tout cas ! » Et, comme Tante Dete approchait, Grand-père tempêta : « Je te l'ai dit, et je te le repète, tu n'as rien à faire ici ! Hors de ma vue, femme ! »

Tante Dete attendit d'avoir reprit son souffle, avant de rétorquer : « Je ne demande pas mieux, vieil homme ! D'ailleurs, j'irais n'importe où, pourvu que tu n'y sois pas ! Mais je ne repartirai pas sans Heidi, m'entends-tu ?

— Quoi ? rugit Grand-père. Tu ne feras rien de la sorte ! Tu es devenue folle, femme, complètement folle ! Heidi reste avec moi !

— Je ne suis pas plus folle que toi, espèce de vieil... de vieil OURS ! piailla Tante Dete. Et je suis assez intelligente pour savoir qu'ici, sur le Wunderhorn,

Heidi restera une ignorante, qu'elle n'apprendra jamais rien ! Tel que je te connais, tu ne songes même pas à l'envoyer à l'école ! Mais à Francfort, il y a un homme très riche dont la petite fille est invalide. Il aimerait beaucoup que Heidi devienne sa demoiselle de compagnie et vive avec eux.

— Mais, Tante Dete, je commence seulement à m'habituer à la montagne, et Grand-père m'a donné Spritz pour que j'apprenne à m'occuper des chèvres !

— Tout cela n'est rien en comparaison de la situation qui t'attend à Francfort, répliqua Tante Dete. Là-bas, tu apprendras à lire, à écrire et à compter, tu auras la possibilité de fréquenter des gens importants et cultivés, et tu deviendras une jeune fille présentable. D'ailleurs, tu es encore beaucoup trop petite pour prendre seule une décision aussi grave !

— Pourrais-je prendre Spritz avec moi ? demanda Heidi.

— Bien sûr que non ! On ne te laisserait même pas entrer à Francfort avec cet animal, et encore moins dans la maison Seseman ! »

Heidi, désespérée, se tourna vers son grand-père en pleurant. « Je ne veux pas partir, Grand-père ! Laisse-moi rester avec toi !

— Je n'aime pas ça, grogna Grand-père. Je me suis habitué à ta présence, et ma vie va à nouveau être totalement chamboulée !

— Je l'aurais juré, intervint Tante Dete. Tu ne te soucies que de toi, et pas du tout du bonheur et de l'avenir de Heidi ! »

Grand-père lança un regard noir à Tante Dete, puis s'adressant à sa petite-fille : « Bien que je n'aime pas l'admettre, Heidi, ta tante a probablement raison. Ici, au Wunderhorn, tu mènerais une vie saine, mais à Francfort, tu auras l'occasion d'apprendre des choses que les gens considèrent être importantes. Je ne veux pas que tu partes, mais c'est sans doute plus raisonnable.

— Tu vois ? jubila Tante Dete. Ton Grand-père, ô, miracle, partage mon avis ; c'est donc que je dois avoir raison.

— Je ne pars pas ! cria Heidi. Je suis chez moi ici, et je m'y plais ! Je ne peux abandonner Grand-père et Spritz et... »

Tante Dete l'interrompit : « Tu as entendu ce que le vieil homme a dit. Et maintenant, va vite mettre ta plus belle robe pour le voyage à Francfort ! »

Heidi eut vite fait d'enfiler les vêtements qu'elle avait portés le jour de son arrivée. Le bord de son vieux chapeau ne parvenait pas à cacher les larmes qui ruisselaient sur ses joues.

Elle supplia une dernière fois sa tante de la laisser rester, mais celle-ci, sans l'écouter, lui prit la main et, traînant Heidi derrière elle, descendit au pas de course vers la vallée.

Quand Heidi jeta un dernier regard attristé au chalet, elle vit que Peter avait rejoint Grand-père. Le vieil homme avait passé un bras autour des épaules du chevrier et, regardant droit devant lui, il levait la main en un geste d'adieu. Peter lui fit signe également, puis il se détourna pour s'essuyer les yeux avec sa manche.

Tous les animaux semblaient comprendre que Heidi partait et étaient silencieux. Seul, Hooter voletait au-dessus des deux femmes qui trébuchaient sur le sentier.

Il les suivit d'ailleurs jusqu'à Francfort.

Peter et Grand-père reprirent leur travail. Heidi leur manquait déjà, et ils se demandaient s'ils la reverraient jamais.

Après un long voyage, Heidi et Tante Dete parvinrent enfin à la grande ville. Heidi n'avait jamais rien vu de pareil : la circulation dans les rues, les boutiques et les grands magasins, les entrepôts et les bureaux, les parcs et les belles maisons. Les immeubles semblaient se dresser jusqu'au ciel, tandis que les sifflets d'usine éclipsaient le chant des oiseaux.

Un fiacre déposa Heidi et Tante Dete devant une maison encore plus imposante que toutes celles que la fillette avait vues en chemin.

« Nous y sommes, dit Tante Dete. Voilà ta nouvelle demeure. »

Heidi n'en revenait pas. Elle allait devoir habiter dans cet immense tas de briques sombres ? Il y avait des douzaines de fenêtres à chacun des trois étages. Déjà, Heidi regrettait le petit chalet de Grand-père. « Comme c'est grand ! s'écria-t-elle. Et comme c'est triste...

— Bientôt, tu n'y penseras plus, répondit Tante Dete. Tiens-toi droite, et gare à tes manières ! » Elles montèrent les marches du perron jusqu'à l'immense porte d'entrée. Boum ! Boum ! Boum ! Le heurtoir de cuivre fit un vacarme épouvantable en retombant sur la porte. Il semblait avertir Heidi qu'elle ferait mieux de rebrousser chemin.

Un homme grand et très gros ouvrit le battant. Le col raide de son uniforme lui arrivait aux oreilles de sorte que sa tête chauve ressemblait à une citrouille posée sur une table. Son visage était rouge, et il paraissait absolument furieux.

Il jeta un regard méprisant sur ses visiteuses et dit d'une voix forte : « Je suis Sebastian, le valet de chambre. Que voulez-vous ?

— Je vous amène la fillette qui sera demoiselle de compagnie de la jeune Seseman », répondit Tante Dete.

Sebastian toisa Heidi d'un air dédaigneux. « C'est là ce que vous amenez ? Ha ! Je suis sûr que Madame Rottenmeir n'en voudra pas ! » Il pointa un doigt vers

Tante Dete, et aboya : « Vous ! Restez ici ! » Puis, se tournant vers Heidi : « Et toi, espèce de rien du tout, suis-moi ! Essuie-toi les pieds ! Reste derrière moi ! Ne touche à rien ! Et surtout, parle seulement si on t'adresse la parole ! » Il claqua la porte au nez de Tante Dete et précéda Heidi le long d'un immense couloir obscur.

« Écoute bien ! reprit Sebastian tout en marchant. Quand Madame Rottenmeir parle, tu te tais. Et pas de réplique ! »

Une très jolie jeune fille dans un uniforme de femme de chambre vint à leur rencontre dans le couloir. Elle s'arrêta quand elle fut à leur hauteur.

« Oh, Sebastian, c'est sûrement la nouvelle demoiselle de compagnie. Comment t'appelles-tu, ma petite ?

— Heidi, madame Rottenmeir.

— Madame Rottenmeir ? rugit Sebastian. Petite idiote, tu ne sais donc RIEN ? Ce n'est que Tinette, la femme de chambre ! Allons, viens ! »

Ils s'arrêtèrent enfin devant une porte. Sebastian frappa, ouvrit et, Heidi sur les talons, pénétra dans une grande pièce bour-

rée de meubles. Devant les fenêtres, d'épais rideaux cachaient le soleil, et Heidi se prit à regretter les grands espaces dégagés de la montagne.

Au milieu de la pièce, droite comme un i, se tenait une grande femme maigre et desséchée. Elle portait une robe sombre et sévère, et ses cheveux noirs étaient relevés en chignon. Du premier coup d'œil, Heidi comprit que la terrifiante Madame Rottenmeir était déjà en colère contre elle. Comme elle s'approchait timidement, la gouvernante se mit à battre du pied et à secouer la tête. Même Schnoodle, le méchant petit teckel qu'elle portait dans ses bras, gronda hargneusement.

« Elle s'appelle Heidi, annonça Sebastian. Elle veut tenir compagnie à Clara.

— Elle n'est même pas digne de tenir compagnie à Schnoodle ! Jamais je n'ai vu une personne aussi insignifiante, aussi futile. C'est une rien, une rien du tout ! Sebastian, veille à ce qu'elle soit renvoyée dans sa montagne, ses bois, ou son zoo ! Tinette ! » Le dernier mot avait été prononcé d'une voix stridente.

« Tinette, emmène-la immédiatement ! ordonna Madame Rottenmeir. Sebastian, il va falloir désinfecter la maison ! » Elle jeta encore un regard dédaigneux à Heidi, frappa du pied, et cria : « Dehors ! »

Une voix s'éleva alors derrière les rideaux d'une des fenêtres. « Non ! Je ne veux pas qu'elle parte ! » Les rideaux s'écartèrent, et une jeune fille dans une chaise roulante se propulsa vers le petit groupe qui se tenait au centre de la pièce.

La nouvelle venue était jolie, mais ses joues étaient pâles, et elle paraissait fragile. Elle portait une jolie robe de dentelle blanche. Elle fit rouler sa chaise jusqu'à Heidi. « Bonjour ! Je m'appelle Clara ! Nous allons devenir amies, n'est-ce pas ?

— Je l'espère. Je m'appelle Heidi. Cependant, je ne crois pas que ta mère veuille que je reste ici.

— Ma mère ? s'étonna Clara. J'aimerais bien que ma chère mère soit là. Elle au moins t'aurait accueillie chaleureusement ! » Une expression de tristesse envahit son joli visage, et elle dit doucement : « Ma mère est morte. »

« Je regrette. Ma mère est morte, elle aussi... ainsi que mon père, dit Heïdi.

— Je suis plus heureuse que toi, je suppose. Mon père voyage beaucoup pour ses affaires, mais il m'écrit presque tous les jours. Je te montrerai ses lettres, si tu veux.

— J'aimerais beaucoup. Peut-être pourras-tu aussi me les lire ?

— Là, vous voyez ! s'immisca Madame Rottenmeir. C'est manifestement une enfant totalement stupide ! Elle ne sait même pas lire ! Sa place n'est pas ici !

— Non, riposta Clara. Elle est comme un souffle d'air frais dans cette vieille bâtisse étouffante... et je pourrai enfin parler à quelqu'un ! Heïdi, cette personne déplaisante est Madame Rottenmeir, notre gouvernante !

— Très bien, mademoiselle Clara, puisque vous insistez ! accorda Madame Rottenmeir d'un ton hargneux, et l'air très en colère. Mais je vous garantis que votre père entendra parler de ceci à son retour ! Tinette, conduis la nouvelle à sa chambre, et veille à ce qu'elle prenne un bain avant de se mettre au lit ! »

Heidi suivit Tinette dans le couloir ; elles montèrent des escaliers, traversèrent une autre salle, et atteignirent une chambre remplie de beaux meubles et de tapisseries.

« Oh ! s'émerveilla Heidi en découvrant le lit. Je n'ai jamais dormi dans un lit avec un toit ! Je ne sais pas si je pourrai !

— Ce n'est qu'un rideau, la détrompa Tinette en riant. Cela s'appelle un lit à baldaquin ! Tu verras, on y dort très bien !

— Quel silence ! J'ai l'habitude d'entendre les chèvres bêler et les hiboux hurler et Grand-père ronfler !

— Essaie de compter les moutons sautant une palissade, conseilla Tinette.

— Je préfère les chèvres. Crois-tu qu'elles feront l'affaire ?

— Tu peux compter des crocodiles ou des éléphants ou des baleines, si tu veux ! Bonne nuit, Heidi ! » dit Tinette en sortant.

Heidi enfila sa chemise de nuit et alla regarder par la fenêtre. Elle ne le vit pas, mais son ami Hooter était perché sur un arbre dans la cour, veillant sur elle. Et la dernière chose qu'elle entendit avant de s'endormir fut le hululement du hibou.

Le lendemain matin, Heidi se leva et alla regarder par l'autre fenêtre de sa chambre. Elle vit qu'un cheval, attelé à une charrette pleine de charbon, stationnait devant la maison. Un jeune homme beau et fort transportait un toboggan devant une lucarne de la cave, et bientôt, le charbon se mit à dévaler la chute avec fracas. Sur les marches du perron, Tinette observait la scène d'un œil intéressé. Il était évident que son intérêt allait au jeune homme, pas à sa charrette ou à son cheval.

« Bonjour, Willi ! appela la jolie femme de chambre.

— Bonjour, mam'selle Tinette !

— Mon Dieu, comme vous devez être fort pour pelleter tout ce charbon avec une telle aisance ! »

Rouge comme un coq, Willi bégaya quelque chose qui ressemblait à : « Oh, je ne suis pas si fort que ça ! »

Tinette, qui s'amusait beaucoup de la gêne de Willi, demanda : « Qu'avez-vous dit ? Je n'ai pas bien entendu !

— J'ai dit que je ne suis pas aussi fort que mon cheval ! »

Il rougit de nouveau, se baissa, et fit voler le charbon avec sa pelle.

« Et vous n'allez jamais vous promener quand vous avez fini de livrer le charbon ? interrogea Tinette d'un air innocent.

— Si, bien sûr ! Quand j'ai fini, je me promène toujours avec Gretchen ! »

A ces mots, Tinette donna un coup de pied exaspéré à la balustrade. « Avec Gretchen ! s'exclama-t-elle. Eh bien, je vous souhaite une bonne promenade, monsieur Face-de-Charbon Willi ! » Et elle rentra dans la maison en claquant violemment la porte derrière elle.

Heidi se pencha par la fenêtre, juste à temps pour entendre Willi murmurer : « Mais qu'ai-je dit ? Qu'ai-je fait ?

— Ne faites pas cette tête, Willi ! Tinette vous aime bien, ça se voit !

— Comment peut-elle m'aimer si elle m'appelle Face-de-Charbon et me claque la porte au nez ?

— Ne vous inquiétez pas, Willi, je sais qu'elle vous aime. C'est simplement qu'elle n'aime pas que vous vous promeniez avec une autre... cette Gretchen !

— Gretchen ? Pourquoi n'irais-je pas me promener avec Gretchen ? Je la ramène à l'écurie après le travail ! C'est mon cheval !

— Eh bien alors, pourquoi se ronger les sangs ? La prochaine fois que vous verrez Tinette, dites-lui qui est Gretchen - et tout sera arrangé !

— Je l'espère, parce que je l'aime bien, moi aussi ! Je crois même que je l'épouserais, mais les filles me font peur... surtout les jolies filles comme Tinette !

— Je vais voir si je peux faire quelque chose... » commença Heidi, mais elle dut s'interrompre parce qu'on venait de frapper à sa porte. Elle se dépêcha d'ouvrir. C'était Sebastian. Il fronçait les sourcils et essayait de se donner un air important.

« Habille-toi immédiatement et suis-moi ! » aboya-t-il.

Heidi se vêtit à la hâte et suivit Sebastian à travers des halls et des couloirs, montant et descendant des escaliers, et traversant encore d'autres couloirs.

« Où allons-nous, Monsieur Sebastian ? demanda-t-elle finalement.

— Il est l'heure de tenir compagnie à Mademoiselle Clara ! dit-il sèchement.

— Ah ! » Heidi réfléchit un moment, puis continua son interrogatoire. « Comment Clara s'est-elle blessée ? Pourquoi se déplace-t-elle en chaise roulante ?

— Il est interdit de parler de cela ! jeta sèchement Sebastian. Clara n'est pas blessée - c'est seulement qu'elle ne va pas bien. Mais n'abordez plus jamais ce sujet ! » Le visage de Sebastian était encore plus rouge qu'à l'ordinaire.

Quelques instants plus tard, ils arrivèrent devant la chambre de Clara. Après avoir frappé, Sebastian entra et dit : « Je vous amène cette... cette Heidi !

— Entre, Heidi ! s'écria joyeusement Clara. Ce sera tout, Sebastian, vous pouvez partir ! » Le valet sortit.

« Viens t'assoir près de moi, reprit la fillette. J'ai des milliers de choses à te demander ! » Heidi prit une chaise et s'assit. « Moi aussi, j'ai des questions à te poser !

— Si ça ne te fait rien, c'est moi qui vais commencer, et en premier lieu, où vivais-tu avant de venir ici ?

— J'ai d'abord habité avec ma Tante Dete, puis avec mon grand-père, sur le Wunderhorn. C'est une montagne en Suisse, expliqua Heidi.

— Ce doit être merveilleux de vivre là.

— Tu ne peux pas savoir ! Je n'avais pas besoin de porter de chaussures, et tous les jours, je pouvais cueillir des fleurs pour Grand-père et m'occuper des chèvres et jouer avec les animaux et... comment ce singe est-il entré ici ? »

Clara regarda la chaise que désignait Heidi. « Mais c'est le singe du joueur d'orgue de barbarie ! Il a dû escalader le lierre qui pousse le long du mur. »

Le singe bondissait d'un meuble sur l'autre, jacassant continuellement et soulevant sa casquette. Soudain, les deux fillettes entendirent une musique s'élever dehors. Le singe se mit à danser.

Heidi alla à la fenêtre pour voir d'où venait la mélodie. Le joueur d'orgue actionnait la manivelle de son instrument sur le trottoir.

« Bonjour ! cria-t-il à Heidi. Le singe danse-t-il pour vous ?

— Oh, oui ! répondit joyeusement Heidi.

— Bien ! continua le joueur d'orgue. C'est mon célèbre singe dansant ! Sachez cependant, petite demoiselle, qu'il faut lui donner un sou pour qu'il continue ! »

Heidi se retourna dans la pièce pour répéter à Clara ce qu'avait dit le joueur d'orgue. « Je ne veux pas qu'il s'arrête ! s'écria Clara. J'ai des sous, je lui en donnerai plein ! » Au bout d'un certain temps, le singe s'arrêta devant Clara et souleva plusieurs fois sa casquette. Elle lui tendit quelques piècettes, et il souleva une dernière fois sa casquette, poussa un cri, et recommença à danser.

« Il est merveilleux ! Je voudrais que cela ne finisse jamais ! » La musique, dans la rue, se fit plus forte et plus rapide. Le singe dansait maintenant à un rythme endiablé. Clara battait des mains, essayant de garder la mesure, quand la porte s'ouvrit soudain, livrant le passage à Madame Rottenmeir et Sebastian. La gouvernante remarqua aussitôt la présence de l'animal.

« Comment cette horrible bête est-elle entrée ? Sebastian, fais-la sortir !

— Tout de suite, Madame Rottenmeir ! »

Mais c'était plus facile à dire qu'à faire,
car dès que le singe vit Sebastian lancé à ses
trousses, il grimpa aux rideaux, se percha
sur les meubles et les lustres, fit une série
d'ahurissantes cabrioles d'un coin de la
pièce à l'autre. Tout était sans dessus dessous, le singe bondissait, Madame Rottenmeir hurlait des ordres et menaçait de faire
toutes sortes de choses horribles, tandis que
Sebastian essayait d'aplatir la bête avec un
balai. Le visage normalement rouge du
valet était devenu violacé. A un moment
donné, il leva le balai, rugit : « Enfin je te
tiens ! » et abattit son arme, pour s'aperce-
voir quelques secondes plus tard qu'il avait
écrasé Schnoodle !

Heidi et Clara s'étaient réfugiées dans un
coin, et se tordaient de rire devant
l'incroyable manège. Cependant, le singe
finit par disparaître par la fenêtre, et le
brouhaha se calma aussitôt.

Madame Rottenmeir ramassa Schnoodle,
et de sa voix la plus méchante, déclara :
« Votre père entendra parler de cette his-

toire, jeune fille ! Heidi sera renvoyée chez elle aussitôt qu'il rentrera, j'y veillerai personnellement ! Allons, viens, Sebastian ! » Et Madame Rottenmeir sortit dignement, accompagnée par son inséparable Sebastian. Heidi regarda Clara et demanda :

« Crois-tu vraiment qu'elle essayera de me faire chasser par ton père ?

— Ne prends pas trop à cœur ce que dit madame Rottenmeir. Ce sont les animaux, tu comprends. Elle hait presque tous les animaux, à l'exception de Schnoodle. Et comme elle doit trouver une excuse à sa mauvaise humeur, elle s'en prend au premier qui lui tombe sous la main. Tu es la dernière arrivée et la plus commode, et à ses yeux, tout est de ta faute !

— Mais pourquoi déteste-t-elle les animaux ? voulut savoir Heidi. Moi, je les adore. Sur le Wunderhorn, tous les animaux sont mes amis !

— Moi aussi, je les aime, et j'aimerais tant en avoir un à moi, mais Madame Rottenmeir dit toujours non. » Heidi ne répondit pas, mais elle venait d'avoir une idée.

Puis Clara dut se mettre à étudier.

89

Heidi la quitta et sortit de la maison sans être vue de personne.

Elle resta sur le trottoir, indécise, ne sachant pas quelle direction prendre, quand une voix lui cria : « Bonjour, toi ! »

Heidi se retourna et aperçut Willi sur sa charrette de charbon tirée par Gretchen.

« Bonjour, Willi !

— Tu es devant ta propre maison, mais tu as l'air perdue ! »

Heidi lui avoua alors qu'elle cherchait un animal pour l'offrir à Clara, mais ne savait pas où en trouver.

« Rien n'est plus facile, lui dit Willi. Le chat du boucher vient d'avoir des petits. Je suis sûr qu'il sera ravi de t'en donner un ! Grimpe, je vais te conduire chez lui ! »

Une heure plus tard, Heidi était de retour. Elle portait un grand panier, et se hâta de monter dans la chambre de Clara.

« Regarde, s'écria-t-elle, j'ai une surprise pour toi ! » Elle posa le panier sur les genoux de son amie. « Ouvre-le ! »

Clara souleva le couvercle du panier et regarda à l'intérieur. « Des chatons ! Quatre jolis chatons ! Où les as-tu trouvés ?

— La chatte du boucher vient de les avoir, raconta Heidi. Willi m'en a parlé et m'a amenée là-bas. Ils étaient tous si beaux, je ne savais pas lequel choisir, alors je les ai tous pris !

— Comme ils sont mignons ! » Clara souleva un chaton tout blanc. « Celui-ci est mon préféré ! Je vais l'appeler Snowball, et celui-là, c'est Muffin, et le troisième Misty. Je n'ai pas encore de nom pour le dernier… mais tant pis, il attendra ! Nous allons tous les garder !

— Mais que dira Madame Rottenmeir ? s'inquiéta Heidi.

— Elle n'en saura rien… nous les cacherons ! Comme c'est amusant ! Nous allons mener des vies secrètes ! »

Les deux fillettes décidèrent de cacher les chatons dans une armoire, en laissant la porte ouverte pour qu'ils puissent respirer.

Cette nuit-là, un orage violent éclata. Des torrents de pluie tombèrent, le vent siffla et fit claquer les volets, des éclairs zébrèrent le ciel, et le tonnerre roula comme un tambour. Tout ce bruit finit par réveiller Heidi. Il réveilla également Madame Rottenmeir

et Sebastian. Au sein de tout le vacarme, on pouvait entendre une espèce de fracas musical qui semblait provenir de la salle de bal.

Sebastian sauta du lit, enfila une chemise de nuit, des chaussons, et surgit dans le couloir pour y trouver Madame Rottenmeir, qui avait fait exactement comme lui. Pendant ce temps, Heidi était sortie de sa chambre et, en se cachant, elle épia le valet et la gouvernante.

« Sebastian ! disait Madame Rottenmeir. As-tu entendu ce bruit ? »

Au même moment, un véritable tintamarre s'éleva dans la salle de bal, une série de notes de musique.

« C'est p... p... peut-être des fan... des fantômes ! chevrota le valet.

— Des fantômes ? As-tu bien dit des fantômes ? » Madame Rottenmeir semblait absolument terrorisée.

« Si ce ne sont pas des fantômes, ce sont sans doute des poltergeists ! »

D'autres notes de musique s'égrenèrent au piano. « Je n'aime pas ça, Sebastian, dit la gouvernante d'une voix tremblante. Les poltergeists sont pires que les fantômes, qui

se contentent de gémir et d'hurler, tandis que les autres... Mais il faut en avoir le cœur net ! Ouvre la route ! Nous allons dans la salle de bal, pour tâcher de découvrir l'origine de tout ce raffut !

— La salle de b...b... bal ? demanda Sebastian, terrifié. Mais c'est là que sont les fantômes et les poltergeists !

— Espèce de lâche ! A la salle de danse, tout de suite ! » commanda Madame Rottenmeir.

Ils traversèrent les sombres couloirs, éclairés seulement par la faible lueur de la chandelle tenue par Sebastian. Heidi les suivit de loin. En arrivant devant la porte, ils entendirent une nouvelle fois des tintements musicaux, et un grand fracas provenant du piano.

« Oh, non ! pensa Heidi. Les chatons de Clara se sont échappés ! Ils sautent sur les touches du piano, et marchent sur le clavier ! Il ne faut pas que Madame Rottenmeir et Sebastian les voient ! »

La gouvernante entra dans la pièce avec le valet qui tremblait de tous ses membres. Heidi, discrètement, les imita.

Madame Rottenmeir prit la chandelle des mains de Sebastian, s'approcha du piano, scruta le clavier, puis jeta un coup d'œil à l'intérieur.

« Il n'y a rien ! Où donc sont passés tes fantômes et tes poltergeists, hein ? »

Au même moment, deux des chatons grimpèrent aux rideaux. Heidi les aperçut et, à la faveur de l'obscurité, secoua les lourdes tentures pour essayer de les déloger. Malheureusement, elle secoua un peu trop fort. Les rideaux se détachèrent et, emprisonnant les chatons, tombèrent sur sa tête. Pour comble de malheur, un éclair illumina le ciel au même instant, et un coup de tonnerre retentit.

Dans la lumière blafarde, Heidi, enveloppée dans un tissu, avait tout à fait l'air d'un fantôme.

Un hurlement étranglé fusa des lèvres de Sebastian, et Madame Rottenmeir poussa un cri strident. Tous deux se ruèrent vers la porte, se précipitèrent dans leurs chambres, sautèrent dans leurs lits respectifs et, le visage enfoui sous les couvertures, tremblèrent de peur jusqu'au matin.

Le lendemain, Tinette, qui avait entendu le remue-ménage de la nuit, raconta à Willi que les fantômes et les poltergeists hantaient la maison.

« Vous les avez vus ? interrogea Willi.

— Non, mais nous les avons tous entendus. Le vacarme qu'ils faisaient dans la salle de bal était terrible ! »

A la même heure, Heidi se trouvait dans la chambre de Clara et la mettait au courant des événements.

« Et tout ça, dit-elle à la fin, parce que les chatons se sont échappés !

— Dans ce cas, il ne faut rien dire, décida Clara. Les chatons sont notre secret. »

Pendant ce temps, Tinette avait conduit Willi dans la salle de bal. « C'est ici que ça c'est passé ! expliqua-t-elle.

— Que peuvent-ils bien faire avec une aussi grande pièce ?

— C'est pour danser.

— Cette pièce gigantesque ne sert qu'à danser ? Elle pourrait contenir six fois la maison où je vis !

— Que se passe-t-il ici ? » retentit une

voix furieuse sur le seuil. Madame Rottenmeir et Sebastian se tenaient là.

« J'ai prié Willi de venir m'aider à chercher les fantômes ! dit Tinette.

— Petite idiote ! gronda la gouvernante.
Les fantômes ne sortent que la nuit ! Et
vous deux, que venez-vous faire ici ? »
Cette dernière question s'adressait à Heidi
et Clara qui venaient d'entrer.

« Nous voulions aider à chasser les fantômes, dit Clara.

— C'est hors de question ! C'est trop
dangereux ! » Madame Rottenmeir se
tourna vers la femme de chambre.
« Tinette ! Reconduis Willi dehors ! Il salit
tout !

— Pourquoi êtes-vous en colère,
Madame Rottenmeir ? intervint Clara.
Tout va pourtant bien !

— Non, s'écria la gouvernante. Tout va
mal ! Rien ne va plus depuis que cette Heidi
est arrivée ! Elle a une mauvaise influence
sur toi, et je ne fermerai pas l'œil jusqu'à ce
qu'elle soit partie ! » Son visage d'ordinaire
si pâle était devenu rouge de fureur. Soudain, elle sursauta, poussa un cri aigu,

pâlit, souleva ses jupes et glapit. « Hiii ! Que se passe-t-il là-dessous ! » A peine avait-elle achevé sa phrase qu'un chaton s'échappa de sous sa robe, traversa la pièce, et sauta dans les bras de Heidi.

« Quelle est cette horrible bête ? hurla Madame Rottenmeir.

— Ce n'est qu'un petit chat, Madame, dit Sebastian.

— Je ne t'ai rien demandé, à toi ! »

« Très bien, reprit-elle en s'avançant vers Heidi. D'où vient ce... cette chose ?

— J'en ai donné quatre à Clara.

— Mets-les à la porte ! Tous ! Et immédiatement !

— Oh, non ! protesta Clara. Ils sont à moi et je les aime, et je vais demander à mon père l'autorisation de les garder !

— Ils ne resteront pas ici ! Ils sont dangereux ! Ils... ils te feront attraper la varicelle ! » Revenant à Heidi, elle aboya : « Quant à toi, tu as besoin d'une leçon. Sebastian ! Conduis-la à la cave et enferme-la à double tour !

— Non ! supplia Clara. Vous ne pouvez pas faire ça à Heidi !

— Je peux faire ce que je veux ! rugit Madame Rottenmeir. Elle ne fait pas partie de la famille, et elle représente un danger public ! Emmène-la ! »

Sebastian empoigna fermement Heidi par le bras et l'entraîna hors de la pièce. Comme ils traversaient l'immense couloir vers les marches de la cave, Sebastian exultait. « Haha ! Tu aimes donc les petits animaux ? Tant mieux, parce que là où je t'emmène, il y a beaucoup de petits animaux avec lesquels tu pourras t'amuser !

— Quel genre de petits animaux ? demanda Heidi.

— DES RATS ! hurla Sebastian. Ils seront ravis de jouer avec toi... à moins qu'ils ne décident de te manger d'abord ! Tu resteras enfermée à la cave jusqu'au retour de M. Seseman. C'est un endroit rêvé pour garder les fauteurs de troubles dans ton genre ! » Sebastian ouvrit la porte de la cave et poussa Heidi à l'intérieur. « Bonne nuit, Heidi ! dit-il méchamment. Amuse-toi bien avec les petits animaux ! » Sur ces mots, il claqua la porte et Heidi entendit la clé tourner dans la serrure.

Heidi secoua la poignée et martela la porte dans l'espoir de se faire entendre par Tinette, mais en vain. Désespérée, elle se retourna lentement pour examiner sa sinistre geôle.

Une étroite lucarne laissait filtrer une faible lueur, mais Heidi ne vit rien d'autre que de la poussière et des débris. Des meubles cassés et des boîtes vides gisaient sur le sol, et une armée d'araignées avaient tissé leurs toiles dans tous les recoins. Une odeur de moisi flottait dans l'air.

Heidi empila des caisses sous la fenêtre et grimpa dessus. Elle essuya la poussière, et regarda au dehors.

Elle reconnut une partie de l'arrière-cour. Elle appela au secours, mais personne ne l'entendit crier... du moins, c'est ce qu'elle crut.

« Houuu ! » cria le hibou en volant de l'arbre sur lequel il était perché jusqu'au rebord de la fenêtre. Il aperçut son amie à l'intérieur et comprit qu'elle était en danger. Mais Heidi, ayant trouvé une vieille couverture où elle s'emmitouffla pour essayer de dormir, ne le vit pas.

Hooter s'envola vers le Wunderhorn aussi vite que le portaient ses ailes.

Heidi s'éveilla peu après, se frotta les yeux, et regarda autour d'elle. Des douzaines de petites lumières rouges clignaient dans la pénombre. Tout à coup, elle réalisa que les lumières étaient les yeux d'une horde de rats.

« Eh bien ! s'exclama Heidi, qui n'avait jamais vu de rat auparavant et qui aimait tous les animaux. Vous êtes bien nombreux ! Et vous aimez vivre dans cette cave humide et sale ? »

Évidemment, les rats ne répondirent pas, mais couinèrent copieusement, et se rapprochèrent.

Heidi décida de se montrer courageuse. Elle s'assit sur une caisse, et reprit : « J'ai beaucoup d'amis parmi les animaux du Wunderhorn... des lapins et des chèvres et des écureuils et des oiseaux ! Voulez-vous devenir mes amis, vous aussi ? »

Les couinements des rats devinrent frénétiques, et ils firent cercle autour de Heidi. Un rat, deux fois plus grand que les autres, resta cependant à l'écart. Il avait l'air très

méchant, avec ses deux grandes dents qui luisaient dans l'ombre. Il semblait attendre son heure pour agir.

Au même instant, Hooter parvint en vue du Wunderhorn. Il atterrit près du chalet de Grand-père, devant Peter qui s'apprêtait à rassembler les chèvres pour les mener paître. Il agita les ailes dans tous les sens, hulula à tue-tête, voleta devant le jeune chevrier. Au bout d'un certain temps, et sans trop savoir comment, Peter comprit que Heidi était en danger.

« Hé, vous tous ! cria-t-il aux animaux. Heidi a des ennuis, des gros ennuis à Francfort ! Nous devons partir à toute vitesse pour l'aider ! »

Peu après, une troupe des plus singulières s'ébranla pour voler au secours de Heidi. Peter ouvrait la marche sur une antique bicyclette, tirant derrière lui une charrette où se trouvait un curieux assortiment d'animaux : des chèvres, des lapins, des écureuils et des oies. Gruffle, et même Grand Turk, faisaient partie du voyage. Hooter voltigeait devant, leur indiquant la route à suivre.

Dans la cave, Heidi était toujours en train de décrire sa vie sur le Wunderhorn. Les rats paraissaient beaucoup aimer ce qu'ils entendaient, car ils piaillaient passionnément quand elle s'interrompait.

Heidi parla ainsi pendant plusieurs jours, presque sans s'arrêter. Enfin, le gros rat décida qu'il était temps de passer à l'action. Se redressant de toute sa taille, il courut se poster devant l'assemblée, et commença à déambuler en couinant coléreusement. Les autres rats jetèrent des regards embarrassés à Heidi, puis à leur chef. Au fur et à mesure que celui-ci les haranguait, leur intérêt amical pour Heidi se transformait en fureur, et leur attitude devint bientôt franchement menaçante.

« Aïe aïe aïe ! pensa Heidi. Ce gros rat semble vouloir convaincre les autres de faire quelque chose d'horrible... à moi ? »

Les rats, très en colère à présent, se préparèrent à attaquer.

Mais maintenant, Hooter guidait Peter et sa troupe d'animaux à travers les rues encombrées de Francfort. Peu après, il se posait sur le perron d'un immeuble.

« Nous y sommes ! s'écria Peter. Ça doit être là que se trouve Heidi. »

Hooter vola jusqu'à la fenêtre de la cave et battit des ailes. Les autres s'approchèrent, puis, s'arrêtèrent, perplexes. Comment allaient-ils entrer ?

Comprenant que Heidi devait être enfermée dans la cave, Peter ramassa une pierre et se prépara à casser la vitre.

« Pas la peine ! » cria une voix. Peter se retourna et aperçut un jeune homme sur une charrette de charbon tirée par un cheval. « Je suis un ami de Heidi, expliqua le chevrier. Elle est enfermée à la cave - et il y a plein de rats affamés !

— Moi aussi, je suis un ami de Heidi ! s'exclama Willi. Il faut à tout prix la sortir de là ! »

Willi courut chercher son toboggan dans la charrette, le plaça devant la vitre de la cave, et poussa violemment. Toute la fenêtre tomba à l'intérieur, au moment précis où les rats attaquaient !

Willi et Peter, et tous les autres animaux derrière eux, glissèrent en bas. Gruffle et Grand Turk chargèrent le gros rat, qui prit

aussitôt la poudre d'escampette, accompagné par ses congénères.

Heidi embrassa ses amis et les conduisit à l'étage pour les présenter à Clara.

Quand tous se furent un peu calmés, Heidi prit la parole. « Je t'aime beaucoup, Clara, mais si ça ne te dérange pas, je veux rentrer chez moi, sur le Wunderhorn !

— Tu me manqueras tellement, Heidi ! Pourquoi ne pouvons-nous pas rester ensemble !

— Nous le pouvons, si tu m'accompagnes ! Et je sais que l'air de la montagne te fera du bien !

— Si seulement c'était possible, soupira Clara. Ce serait si amusant !

— Mais c'est possible ! Il suffit que tu le veuilles ! Prends ta décision, et partons !

— Très bien, dit Clara d'une voix ferme. Je le ferai ! Mais d'abord je veux écrire une lettre à mon père... Ensuite, la Suisse ! Willi ! Peux-tu venir, s'il te plaît ? »

Willi, accompagné par Tinette, descendit Clara dans sa chaise roulante ; ils prirent tous place dans sa charrette et s'en furent au trot, tirés par Gretchen.

Le père de Clara rentra le lendemain et trouva la note de sa fille, qui disait : « Cher papa, je suis allée voir les montagnes avec Heidi. Ne t'inquiète pas, je ferai attention, et le grand-père de Heidi me ramènera. Ta fille qui t'aime, Clara. »

« Que signifie donc ceci ? demanda-t-il sévèrement à Sebastian et Madame Rottenmeir. Qui est cette Heidi, et où sont ces montagnes ? »

La gouvernante lui expliqua tout ce qui s'était passé, et que les montagnes étaient en Suisse, puis elle dut avouer ce qu'ils avaient fait à Heidi.

« Je veillerai à ce que vous soyez punis, gronda-t-il en s'élançant hors de la pièce. Mais plus tard - une fois que j'aurai retrouvé Clara ! » Il se rendit aux écuries et sella son cheval le plus rapide.

Dans la maison, Sebastian disait à Madame Rottenmeir : « Je crois que si nous voulons éviter une chose très désagréable, nous ferions mieux de partir immédiatement !

— Tu as raison, Sebastian ! Je pense qu'il vaut mieux ne pas attendre leur

retour ! » Et ils s'enfuirent sans demander leur reste.

Environ à la même heure, Heidi et ses amis atteignirent le pied des montagnes. « Regardez, dit-elle en indiquant un sommet lointain. La plus haute est le Wunderhorn, et c'est là que j'habite !

— Heidi, c'est merveilleux ! s'écria Clara. Quand je pense que sans ton aide, je ne l'aurais peut-être jamais vue ! »

Peu après, la route devint si étroite que la charrette ne pouvait plus passer. Willi et Tinette firent leurs adieux à Heidi, Clara et Peter, et annoncèrent qu'ils allaient bientôt se marier. Tout le monde s'embrassa, et la petite troupe continua seule. Peter poussait Clara dans sa chaise roulante.

Comme ils traversaient un pré, Clara demanda : « Puis-je rester un peu de temps ici ? Je n'ai jamais rien vu d'aussi beau ! »

Heidi et Peter acquiescèrent, et coururent voir Grand-père. Loin dessous, M. Seseman s'approchait au galop.

Grand-père, naturellement, fut transporté de joie en voyant Heidi, et voulut tout de suite qu'elle lui raconte son voyage.

Au bout de quelques minutes, Heidi se souvint de son amie. « Peter, nous ferions peut-être mieux d'aller chercher Clara ! »

Dans le pré, Clara avait ouvert le panier et laissé sortir les chats. Snowball, curieux comme il l'était, s'éloigna vers le bord du pré et fit la chasse aux papillons.

Soudain, il disparut ! Le pré donnait sur un précipice, et il y avait glissé. Par chance, une petite branche l'accrocha au passage, et il resta suspendu au-dessus du vide.

Clara appela au secours, mais elle savait qu'elle seule pourrait sauver Snowball. Sans hésiter, elle fit basculer sa chaise roulante et se mit à ramper laborieusement vers son chaton.

Tout en haut de la montagne, le faucon à la vue perçante avait observé la scène. Dès qu'il vit le chaton réduit à l'impuissance, il fondit sur lui.

Clara rejoignit Snowball une seconde avant le faucon. Elle fit des moulinets avec les bras, et réussit à lui donner un coup violent sur la tête. Poussant un cri strident et furieux, le faucon s'éloigna.

Clara cueillit le chaton sur sa branche et,

serrant la petite bête tremblante contre sa poitrine, commença le difficile retour vers sa chaise roulante.

Une fois là, elle parvint à se mettre à genoux. De toutes ses forces, elle voulut alors se hisser sur sa chaise. Mais elle prit trop d'élan et, subitement, elle se retrouva debout ! Elle resta d'abord abasourdie, ne comprenant pas ce qui s'était passé.

Ensuite, tout le monde sembla arriver en même temps. Peter et Heidi couraient vers elle, Grand-père sur leurs talons, et M. Seseman stoppa son cheval devant elle. Il descendit et la prit dans ses bras.

« S'il te plaît, papa, repose-moi par terre ! Je veux essayer de marcher ! »

Son père lui lança un regard surpris et vaguement inquiet, mais il la reposa doucement jusqu'à ce qu'elle se tienne de nouveau sur ses jambes. Aussitôt, Clara avança prudemment un pied, puis l'autre, et ainsi de suite, de plus en plus vite, de plus en plus sûre d'elle-même, et bientôt elle dansait de joie dans le pré !

« Je n'en crois pas mes yeux ! dit M. Seseman. C'est un miracle !

— C'est la montagne ! s'exclama Grand-père. Tout se porte mieux ici ! Et maintenant, allons au chalet ! Nous allons fêter le retour de Heidi et la guérison de Clara ! »

Clara sourit. « Comment pourrais-je jamais vous remercier, Heidi et Peter et vous tous ?

— N'y pense plus, Clara, répondit Heidi. Les vrais amis sont là pour ça ! »